Kirsten Boie

Der kleine Pirat

Bilder von Silke Brix

Verlag Friedrich Oetinger · Hamburg

Der kleine Pirat hatte ein schwieriges Leben.

Jeden Morgen, wenn er aufgestanden war und seine Cornflakes gegessen und seine Milch getrunken hatte, musste er in den Mastkorb steigen und nach Schiffen Ausschau halten, die er ausrauben konnte; denn das ist schließlich die Arbeit der Piraten.

»Ab und zu möchte man ja vielleicht auch mal was anderes machen«, murrte der kleine Pirat, aber dann stieg er doch wieder jeden Morgen den Mastkorb hinauf; denn das ist schließlich die Arbeit der Piraten. Wenn er Glück hatte, entdeckte er ein Schiff. »Ahoi!«, schrie der kleine Pirat. »Schiff in Sicht!« Und dann steuerte er mit voller Kraft voraus geradewegs darauf zu.

»Alle Mann unter Deck!«,
schrie der kleine Pirat
und warf seinen Enterhaken
zu dem Schiff hin und über
die Reling. »Piraten greifen an
Geld oder Leben!«

Dann verschwanden Besatzung und Passagiere mit lauten Hilfeschreien
unter Deck und der kleine Pirat konnte in aller Ruhe das Schiff ausrauben.
Es war jedes Mal dasselbe und allmählich wurde es langweilig, aber das
war eben die Arbeit der Piraten.

Nur manchmal zog ein kühner Kapitän oder ein tapferer Schiffsjunge oder
eine furchtlose Dame mit lockigem Haar einen Degen oder sogar eine Pistole
und schrie mutig: »Ha!«
Und dann freute sich der kleine Pirat, denn dann war es ein wenig anders
als an den anderen Tagen und ein kleines bisschen weniger langweilig.

Aber wenn er dann mit lautem Gebrüll seine große Kanone auf sie richtete, sprangen auch sie eilig unter Deck, und der kleine Pirat konnte wieder in aller Ruhe das Schiff ausrauben.

Es war jedes Mal dasselbe.

Nein, ab und zu möchte man wirklich mal was anderes machen, dachte der kleine Pirat, wenn er im Abendrot vor dem Schlafengehen noch ein bisschen an Deck hin und her ging und seine Schatztruhen zählte. Es waren ziemlich viele, und der kleine Pirat konnte nicht sehr weit zählen, gerade nur bis zwölf. Es wäre doch auch mal ganz nett, wenn einer sich freuen würde, wenn er mich sieht. Es wäre eine Abwechslung. Das würde mir gefallen. Und er zählte seine Schatztruhen bis zwölf und nach der zwölften fing er mit eins wieder an. Dreimal musste er bis zwölf zählen und einmal bis sieben, und das war ja schon eine ganze Menge.

Aber eines Morgens, als der kleine Pirat aufgestanden war und seine Cornflakes gegessen und seine Milch getrunken hatte, beschloss er, an diesem Tag alles anders zu machen.

»Ich will meine Arbeit ja tun«, sagte der kleine Pirat. »Keine Sorge. Aber auf neue Art, das wird wohl erlaubt sein«, und er zog die Piratenflagge ein und stieg in den Mastkorb, um nach Schiffen Ausschau zu halten.

»Ahoi, Schiff in Sicht!«, schrie der kleine Pirat und hielt geradewegs darauf zu. »Guten Tag, gute Leute, guten Tag, guten Tag!«

»Guten Tag, guten Tag!«, riefen Mannschaft und Passagiere und winkten ihm zu. »Bist du in Seenot? Können wir helfen?«

Es war wirklich ganz anders als an den anderen Tagen und der kleine Pirat freute sich sehr.

»Ach, nein«, antwortete er höflich, »vielen Dank! Ich bin ein freundlicher
kleiner Pirat und gekommen, um euch auszurauben, aber keine Sorge ...!«
Aber da waren Mannschaft und Passagiere schon mit lauten Hilfeschreien
unter Deck verschwunden und der kleine Pirat konnte in aller Ruhe das Schiff
ausrauben, und dabei ärgerte er sich die ganze Zeit, dass sie nicht an Deck
geblieben waren und sich mit ihm unterhalten hatten. So machte die See-
räuberei auch nicht viel mehr Spaß als vorher. Nicht einmal, als der kleine
Pirat sich höflich verabschiedete, kam von unten eine Antwort.

Beim nächsten Schiff erging es ihm nicht viel besser.

»Guten Tag, gute Leute, guten Tag, guten Tag!«, rief der kleine Pirat. »Ich bin ein freundlicher kleiner Pirat und gekommen, euch auszurauben, aber keine Sorge ...!«

Aber da hatten der kühne Kapitän und sein tapferer Schiffsjunge und eine furchtlose Dame mit lockigem Haar schon ihre Degen gezogen und traten ihm mutig entgegen.

»Halt!«, schrien sie alle drei, und der kleine Pirat merkte, dass sie sich genauso wenig mit ihm unterhalten wollten wie Mannschaft und Passagiere auf dem vorigen Schiff.

Es ist schade, dachte der kleine Pirat seufzend, als er seine große Kanone auf sie richtete und mit lautem Gebrüll die riesigen Kanonenkugeln einlegte. Ich hatte es mir so nett vorgestellt. Wir hätten gemütlich ein wenig plaudern können und dann hätte ich in Gottes Namen ihre Schatztruhe geraubt und heute Abend wären es dreimal zwölf und neun gewesen. Aber die Menschen hören ja gar nicht erst zu. Und er enterte das Schiff und raubte es in aller Ruhe aus, denn inzwischen waren Dame, Kapitän und Schiffsjunge eilig unter Deck gesprungen.

Ich habe mir wirklich alle Mühe der Welt gegeben, dachte der kleine Pirat, als er vor dem Schlafengehen im Abendrot noch ein bisschen an Deck auf und ab spazierte und seine Schatztruhen zählte (tatsächlich waren es jetzt dreimal zwölf und neun). Ich habe meine Piratenflagge eingezogen. Ich habe höflich gegrüßt. Ich habe gesagt, wer ich bin und was ich will und dass keiner Angst vor mir haben muss. Aber die Menschen wollen ja nicht hören. Meine Schuld ist es jedenfalls nicht. Und mit einem lauten Seufzer legte er sich in seine Hängematte und schlief bis zum frühen Morgen unter den Sternen.

Am nächsten Morgen hatte der kleine Pirat zu-
erst gar keine Lust, aufzustehen. Es wird wieder
sein wie jeden Tag, dachte er. Keiner wird mit mir
reden wollen. Es wird langweilig sein. Aber das
ist eben die Arbeit der Piraten. Und er aß seine
Cornflakes und trank seine Milch und hisste die
Piratenflagge. Dann stieg er in den Mastkorb, um
Ausschau zu halten. Tatsächlich sah er schon bald
ein Schiff.
»Alle Mann unter Deck!«, schrie der kleine Pirat.
»Piraten greifen an! Geld oder Leben!« Es war ein
ziemlich kleines Schiff, und an Bord war nur ein
alter Mann, der lehnte sich gegen den Mast.
»Guten Tag, guten Tag«, sagte der alte Mann.
»Du kannst deinen Degen ziehen und deine
Kanone auf mich richten und mein Schiff entern,
das wird nichts ändern. Ich habe keine Schätze
an Bord.«
»Keine Schätze an Bord?«, fragte der kleine Pirat.
»Du kannst ja nachsehen«, sagte der alte Mann.

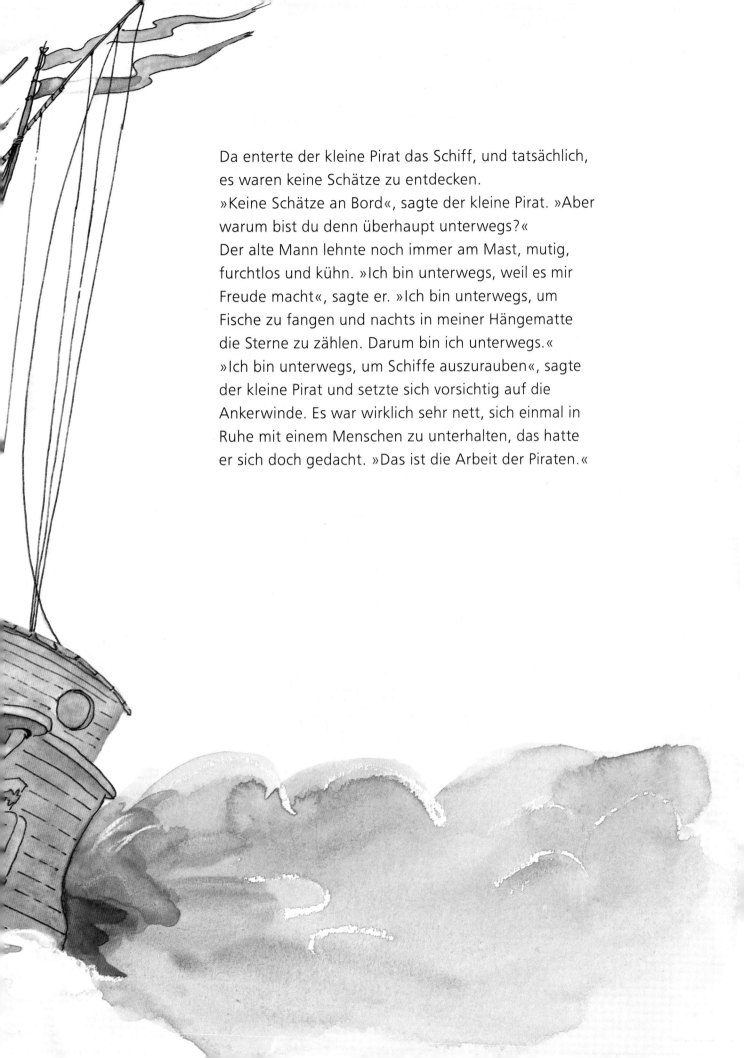

Da enterte der kleine Pirat das Schiff, und tatsächlich, es waren keine Schätze zu entdecken.

»Keine Schätze an Bord«, sagte der kleine Pirat. »Aber warum bist du denn überhaupt unterwegs?«

Der alte Mann lehnte noch immer am Mast, mutig, furchtlos und kühn. »Ich bin unterwegs, weil es mir Freude macht«, sagte er. »Ich bin unterwegs, um Fische zu fangen und nachts in meiner Hängematte die Sterne zu zählen. Darum bin ich unterwegs.«

»Ich bin unterwegs, um Schiffe auszurauben«, sagte der kleine Pirat und setzte sich vorsichtig auf die Ankerwinde. Es war wirklich sehr nett, sich einmal in Ruhe mit einem Menschen zu unterhalten, das hatte er sich doch gedacht. »Das ist die Arbeit der Piraten.«

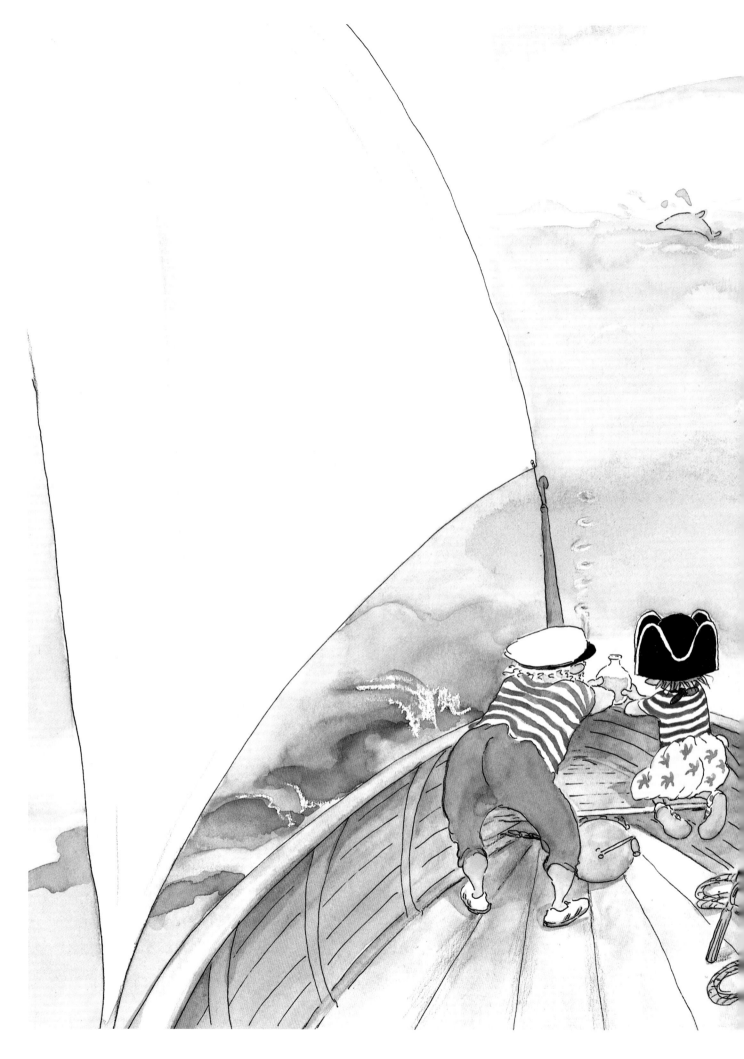

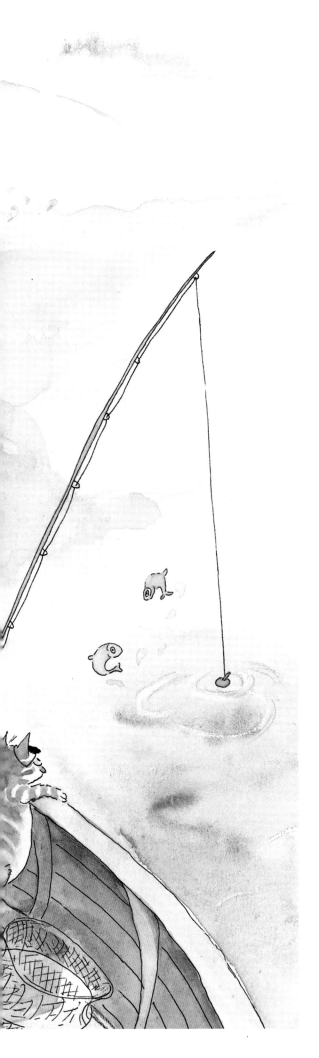

»Bei mir hast du Pech«, sagte der alte Mann.
»Keineswegs, keineswegs«, sagte der kleine Pirat
höflich. »Ich unterhalte mich gerne über Fische-
fangen und Hängematten und Sternezählen. Es
hat bisher nur keiner mit mir reden wollen.«
»Das ist schon klar«, sagte der alte Mann, und er
reichte dem kleinen Piraten seine Wasserflasche.
»Man redet nicht gerne mit Leuten, die einen
ausrauben wollen.«
»Tatsächlich«, sagte der kleine Pirat. »Aber das
ist die Arbeit der Piraten. Ich habe nichts anderes
gelernt.«
»Man kann umlernen«, sagte der alte Mann.
»Tatsächlich«, sagte der kleine Pirat. »Dann würde
ich wohl meine große Kanone und Pistole und
Degen im Meer versenken müssen.«
»Das würdest du wohl müssen«, sagte der alte
Mann, und dann redeten sie lange Zeit gar nichts
mehr, sondern tranken nur immer abwechselnd
jeder einen Schluck aus der Wasserflasche.

Als es Abend wurde, stand der kleine Pirat auf.
»Ich muss nach Hause auf mein Schiff«, sagte er. »Es
war ein schöner Tag. Heute habe ich gar nichts ge-
schafft.«
Der alte Mann ging mit ihm die paar Schritte bis zur
Reling und wünschte ihm gute Fahrt und der kleine
Pirat kletterte zurück auf sein Schiff.

Als er im Abendrot an Deck hin und her ging, hatte er keine Lust, seine
Schatztruhen zu zählen.
Es sind dreimal zwölf und neun wie gestern Abend, dachte er. Daran
ändert auch alles Zählen nichts. Es ist keine dazugekommen. Und er
überlegte, ob er stattdessen die Sterne zählen sollte wie der alte Mann.
Aber er hatte ja nie gerne gezählt und darum ließ er es bleiben.

Man könnte sich daran gewöhnen, dachte der kleine Pirat zufrieden, als er später einfach so in seiner Hängematte lag. Es wäre nett, wenn die Leute sich freuen würden, wenn sie mich sehen. Natürlich wäre es schade um meinen Degen und meine Pistole und die Kanone mit den riesigen Kanonenkugeln. Aber man müsste es sich überlegen.

Und dann schlief er friedlich bis zum frühen Morgen unter den Sternen.

Kirsten Boie, 1950 in Hamburg geboren, promovierte Literaturwissenschaftlerin, ist eine der renommiertesten deutschen Kinder- und Jugendbuchautorinnen. Für ihr Gesamtwerk wurde sie mit dem Sonderpreis des Deutschen Jugendliteraturpreises geehrt. Kirsten Boie hat viele beliebte Kinderbuchfiguren für alle Altersgruppen kreiert und engagiert sich stark auf dem Gebiet der Leseförderung. Nicht nur »Paule ist ein Glücksgriff« – so der Titel ihres Debütromans – sondern auch »Kirsten Boie ist ein Glücksfall für die deutsche Kinderbuch-Literatur« (NDR).

Silke Brix, 1951 in Schleswig-Holstein geboren, studierte an der Fachhochschule für Gestaltung in Hamburg und illustriert seit 1986 Bücher für Kinder. Aus ihrer kongenialen Zusammenarbeit mit Kirsten Boie sind bislang rund 50 Bücher entstanden. Dabei hat sie so beliebten Figuren wie dem kleinen Albert, der kecken Linnea, dem Schulkind Lena, Jan-Arne mit seinem Meerschweinchen King-Kong, Prinzessin Rosenblüte und dem »Glücksgriff« Paule ihr zumeist ziemlich pfiffiges Gesicht gegeben.

Weitere Bilderbücher von Kirsten Boie bei Oetinger

Josef Schaf will auch einen Menschen (Illustration: Philip Waechter)
Klar, dass Mama Anna/Ole lieber hat (Illustration: Silke Brix)
Nee! sagte die Fee (Illustration: Jutta Timm)

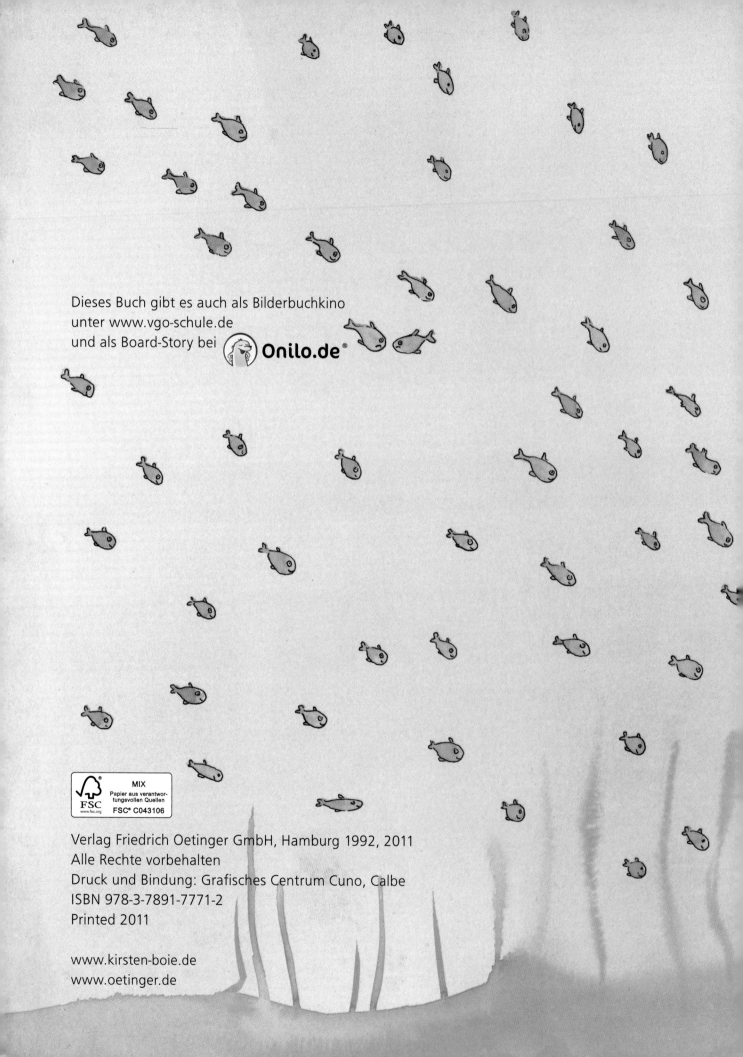

Dieses Buch gibt es auch als Bilderbuchkino
unter www.vgo-schule.de
und als Board-Story bei Onilo.de®

Verlag Friedrich Oetinger GmbH, Hamburg 1992, 2011
Alle Rechte vorbehalten
Druck und Bindung: Grafisches Centrum Cuno, Calbe
ISBN 978-3-7891-7771-2
Printed 2011

www.kirsten-boie.de
www.oetinger.de